Published by WeBook Publishing, Los Angeles - CA
www.webookpublishing.com

For information, please email info@webookpublishing.com

First Bilingual Edition
ISBN: 979-8-9886684-2-8 (Paperback)
Library of Congress Control Number: 2024903538
Series Titles: The Backpackers of Imagination - Os Mochileiros da Imaginação
Book Number in Series: Book 1
Written by Sheylla Gonçalves
Copy Editing by Ana Silvani
Cover Art by Becca Lacerda
Illustrations by Becca Lacerda
English Translations by Ana Silvani
Words, Music, and Portuguese vocals by Sheylla Gonçalves
English vocals performed by Sabrina Petrini

Note: Much care and technique were employed in editing this book. However, there can be no assurance that it will be free of minor typing errors, printing issues, or even conceptual ambivalence. In any such case, we ask that the issue be notified to our customer service at the e-mail address info@webookpublishing.com

---

Publicado pela editora WeBook Publishing, Los Angeles - CA
www.webookpublishing.com

Para mais informações, envie um e-mail para: info@webookpublishing.com

Primeira Edição Bilíngue
ISBN: 979-8-9886684-2-8 (capa brochura)
Escrito por Sheylla Gonçalves
Revisão: Ana Silvani
Capa: Becca Lacerda
Ilustrações: Becca Lacerda
Tradução para o inglês: Ana Silvani
Letra, música, e vocais em português: Sheylla Gonçalves
Vocais em inglês: Sabrina Petrini

Para a minha amada vozinha, que me mostrou o mundo através das suas histórias. Para minha mãe que sempre incentivou minha arte. E para o Sid por todo carinho e dedicação a nossa família.

To my dear granny, who has shown me the world through storytelling. To my mother, who has consistently encouraged me in the arts. And to Sol for caring for our family.

Olá, eu sou a Mochileira Sheyllinha, e essa é a Cristal, minha parceirinha de aventuras. Tudo bem?

Hi, I am Backpacker Shey, and this is my best friend Crystal. How are you?

Você sabe o que é ser um mochileiro? Deixa eu te contar: Mochileiro é um viajante que usa uma mochila mágica assim como minha melhor amiga Crystal e eu. Juntas, viajamos o mundo todo colecionando histórias.

Do you know what it's like to be a backpacker? Let me tell you: it is someone who puts on their magical backpack, just like my friend Crystal and I. Together, we journey across the world gathering stories.

Quando alguém conta uma história que eu gosto muito, abro a minha mochila, a historinha entra e assim fecho a mochila bem rapidinho para que ela não saia voando. Mas você sabe o que mais eu guardo na mochila? Músicas, poemas, objetos que me ajudam a lembrar cada aventura.

When someone shares a story we love, I open my backpack, that little tale goes right inside, and I zip it up tight so it doesn't fly away. But you know what else I keep in my backpack? Songs, poems, and all the things that help me remember each adventure.

Você também quer ser um mochileiro? Então juntos seremos Os Mochileiros da imaginação. Está pronto para essa aventura? Como um bom mochileiro, nós temos uma tradição, toda vez, antes de começarmos a ouvir uma história nova, nós cantamos o Hino dos Mochileiros.

Se você ainda não conhece, tudo bem, é só pedir para um adulto escanear o QR code abaixo. E para quem já conhece o hino, cante comigo:

Os mochileiros estão partindo.
Uma nova aventura está surgindo.
Vamos chegar em um outro lugar,
E uma nova história... Encontrar.
Yes!

Would you like to be a backpacker, too? Great! That means we can become the Backpackers of Imagination together. Are you all set for our journey? Here's something special: backpackers have a tradition. Before we dive into a brand-new story, we sing the Backpacker's Song.

If you haven't heard it yet, just ask a grown-up to scan the QR code below. And for those who know the song already, sing along with me:

The backpackers are setting out.
A new adventure is coming about.
We'll arrive in a brand new land.
And a new story... Hold my hand.
Yes!

Que legal! Agora você é oficialmente um Mochileiro da Imaginação!

Um dia eu estava mochilando por uma floresta muito linda em busca de novas histórias para contar, e adivinha o que eu achei? Uma árvore enorme e majestosa que brilhava intensamente, e eu que não sou boba já fui me aproximando.

As luzes saíam pelas fendas do seu tronco. Por alguns minutos eu fiquei ali parada admirando até que não resisti e com as pontas dos meus dedos eu toquei a árvore.

How exciting! You're now officially a Backpacker of Imagination!

One sunny day, I was out on a big adventure in a beautiful forest looking for new stories to tell. And guess what I found? A giant, majestic tree shining so bright it caught my attention.

I couldn't resist, so I carefully moved closer. The tree had these tiny lights peeking out from its trunk like little stars. I stood there for a while, just gazing at it until I couldn't help myself and reached to touch it with my fingers.

Aquela luz intensa começou a se espalhar pelo meu corpo, comecei a sentir uma sensação gostosa de coceguinhas, a luz foi aumentando, aumentando até que não conseguia enxergar mais nada.

Abracei a Mochileira Crystal e quando finalmente a luz começou a cessar, nos demos conta de que estava na mesma floresta, mas tinha algo diferente, parecia uma floresta mágica dos contos de fada. Tudo brilhava!

All that bright light started to spread through my body, and it felt like a tickling, giggly sensation.

The light got brighter and brighter until I couldn't see anything else.

I hugged backpacker Crystal, and when the light finally faded, we realized we were still in the same forest, but it had turned into a magical place! Everything was sparkling and shining, just like in a fairy tale.

De repente eu pude ouvir pessoas conversando, segui o som dessas vozes até que percebi que não eram pessoas e sim um leão que conversava com uma andorinha. E eu conseguia entender tudo o que eles estavam falando, você acredita?

Suddenly, I heard some voices, and I followed the sound. Guess what? It wasn't people talking; it was a lion having a conversation with a little bird. And the most amazing part is that I could understand every word they said! I couldn't wait. I had to go closer and say hi.

Não resisti, me aproximei e já me apresentei. Expliquei o que tinha acontecido e ele rapidamente se prontificou a nos ajudar a voltar para casa. Mas antes, contou uma história para levarmos nas nossas mochilas dos sonhos. Ele foi extremamente simpático e acolhedor, e me disse que eu tinha atravessado um portal na floresta, e por isso podia entender quando eles falavam.

I couldn't resist it. I told them what happened, and Tony the Lion offered to help us find our way back home. But before we left, he shared a story for us to keep in our magical backpacks. He was super friendly and warm, and explained I had crossed through a magical portal in the forest, which was why I could understand the animals when they talked.

Sentamos em um gramado lindo e macio, a pequena Crystal se acomodou no meu colo, muito animada, outros animais se aproximaram para ouvir a história também.

We sat down on a beautiful and cushy green field, my doggie Crystal cuddled on my lap, and a few animals gathered around to listen to the story too.

Esperem! Antes de embarcarmos na nossa aventura nova, preciso te apresentar três palavrinhas muito importantes na hora de ouvir uma história. Elas são palavras mágicas. A primeira é o silêncio, a segunda é a concentração, e a terceira é a imaginação. Então, vamos juntos ativar essas palavras mágicas?

Wait! Before we jump into this new and exciting adventure, I want to share three special words with you. They are really important when listening to stories. We call them "magic words." The first one is silence, the second one is focus, and the third one is imagination. Are you ready to activate these magic words?

Estique a mãozinha para cima e pegue: o silêncio.

Reach your hands up high and grab: silence.

Estique a Mãozinha para o outro lado e pegue: a concentração.

Reach your hands to the left and grab: focus.

Estique a mãozinha para o lado e pegue: a imaginação.

Reach your hands to the right and grab: imagination.

Na floresta, moravam vários animais, girafas, macacos, passarinhos, elefantes, onças e muitos outros.

O síndico da floresta era o Leão Tonhão, que organizava tudo, qualquer problema era só falar com ele.

In the forest, there were lots of animals - giraffes, monkeys, little birds, elephants, and jaguars, too.

Tony the lion was the leader of the forest, the one who made sure everything ran smoothly. If there was ever a problem, you could always count on him.

Um dia, o Leão Tonhão resolveu convocar uma reunião com os animais da floresta para discutir algo muito sério. Ele pediu que o Sabiá avisasse a todos.

One day, Tony the Lion thought it was time for a big meeting with all the forest animals. He asked the Thrush to spread the word.

Dona Girafa, com seu pescoço gigante, chegou ansiosa para descobrir o motivo da reunião.

O Macaco, cheio de curiosidade, veio pulando de galho em galho comendo uma banana.

O Senhor Jacaré, com sua boca enorme, tagarelava sem parar com a onça para descobrir se ela sabia de alguma coisa.

Mrs. Giraffe, with her long neck, showed up all excited to learn what the meeting was about.

Curious Monkey hopped from branch to branch, munching on a banana.

Mr. Alligator, with his big mouth, chatted away with the jaguar, trying to find out if she had any clues.

De repente, o Leão Tonhão levantou e perguntou se todos estavam presentes, mas logo percebeu que faltava alguém: o Bicho-Preguiça.

"Calma, calma, pessoal, ele está chegando, eu estou vendo ele", disse a Dona Girafa, conseguindo ver por cima das árvores.

Suddenly, Tony the Lion got up and asked if everyone was there. But he soon realized that someone was missing: the Sloth.

"Don't worry, everyone, he's on his way! I can see him," said Mrs. Giraffe peeking over the trees.

Assim que o Bicho-Preguiça chegou, o Leão começou a falar:

"Queridos amigos, estamos enfrentando um grande problema: Nossa floresta está correndo perigo."

"Como assim? Que perigo é esse?" perguntaram as Zebras alvoroçadas.

When the Sloth arrived, the Lion started speaking:

"Dear friends, we have a big problem: our forest is in danger."

"What do you mean? What's the danger?" the Zebras asked.

"Eu vou explicar," continuou o Leão.

"A poluição toma conta da nossa floresta, contamina a água dos rios e dos lagos. Quase não temos água potável para beber."

"I'll tell you," the Lion continued.

"Our forest is in trouble because of pollution. It's contaminating the water in our rivers and lakes. We hardly have clean water to drink."

“A Dona Rã nem pôde comparecer a esta reunião porque ficou doente. Ela estava nadando no lago, e logo depois começaram a aparecer umas bolinhas amarelas pelo corpo dela.”

Ele respirou fundo.

“O doutor Caramujo disse que foi a contaminação da água. Tive que interditar o local. Até que a água volte ao normal, ninguém pode nadar nem beber água lá. Coloquei o Capitão Sapo para tomar conta para que nenhum dos nossos filhotes vá brincar perto do lago.”

"Mrs. Frog couldn't make it to this meeting because she got sick. She went for a swim in the lake, and shortly after, little yellow bumps appeared on her skin."

He took a deep breath.

"Dr. Snail said it was because the water was dirty. So, I had to close the lake off. Until the water gets back to normal, no one can swim or drink from there. Captain Frog is in charge now to make sure none of our little ones go near it until the water is safe again."

"Nossa, não acredito! Então é sério mesmo!" disse a Borboleta, voando junto com suas filhas.

"Wow, I can't believe it! So it's really, really serious!" said the Butterfly, flying alongside her little ones.

"É muito sério, Dona Borboleta. Sabe o ar que respiramos? Está tão poluído que os filhotes do Gato de Botas estão todos com bronquite.
E sabem quem é o culpado disso tudo? Todos nós," disse o Leão.

"It's very, very serious, Mrs. Butterfly. Do you know the air we breathe? It's so yucky that Puss in Boots' kittens got bronchitis. And do you know who's causing all this trouble? We are," said the Lion.

"Hey! I'm not to blame!" said the little Pig, who arrived late to the meeting.

"Oh, really? What about that campfire you started the other day because you wanted to have fun with your friends? I've told you that making campfires is dangerous. You can get burned, the forest can catch fire, and the smoke hurts the ozone layer. Without it, the rays of sun can burn our skin, and that's really bad for our health."

"You're right, Tony. I'm so sorry. I won't make campfires anymore," promised the embarrassed little Pig.

"Ei! Eu não sou culpado não!" exclamou o Porquinho, que chegou atrasado à reunião.

"Ah Não? E aquela fogueira que você acendeu outro dia porque queria se divertir com seus amigos? Eu já disse que acender fogueira é muito perigoso. Você pode se queimar, pode pegar fogo na floresta inteira e a fumaça ainda prejudica a camada de ozônio. Sem ela, os raios de sol queimam a nossa pele e isso faz muito mal para a nossa saúde."

"É verdade, Tonhão. Você tem razão, desculpe. Não farei mais fogueiras." prometeu o Porquinho todo envergonhado.

“Também precisamos mudar os nossos hábitos. Quando nós formos fazer piquenique, é importante orientar os filhotes para não jogar comida para os peixes, recolher o lixo antes de ir embora, e não usar shampoo e sabonete nos rios e cachoeiras, viu Hipopótamo? Isso polui as nossas águas.”

O hipopótamos sorriu meio sem graça.

"We also need to change some habits. When we picnic, let's remind the little ones not to feed the fish, and to pick up our trash before we leave. We can't use shampoo and soap in rivers and waterfalls, okay Hippopotamus? That can make our waters dirty."

The hippopotamus flashed a guilty smile .

O Macaco já saía de fininho quando o Leão falou:

“Macaco, você estava comendo uma banana quando chegou, correto?”

“Err... Sim.”

“E cadê a casca da banana?”

“Está ali no chão, Tonhão, eu estou vendo,” fofocou Dona Girafa.

“Eu já estou indo pegar. Prometo que vou jogar no lixo,” disse o Macaco.

The Monkey was tiptoeing away when the Lion said:

"Hey, Monkey, you were eating a banana when you got here, weren't you?"

"Um... yeah."

"Where's the banana peel?"

"It's over there, Tony, I can see it," whispered Mrs. Giraffe.

"I'll go get it. I promise to throw it in the trash," said the Monkey.

"É disso que estou falando, meus amigos. Sempre precisamos recolher o nosso lixo, e separar o que pode ser reciclado. Se continuarmos desse jeito, vamos destruir a floresta, e não teremos mais onde morar. Vamos cuidar da nossa floresta?"

"Vamos!" gritaram todos juntos.

"That's what I mean, friends. We should always clean up our mess and separate what can be recycled. If we don't, we'll hurt the forest and won't have a home anymore. Let's take care of our forest, okay?"

"Okay!" They all cheered together.

Todos foram para casa, e a partir daquele dia, cada um cuidou da floresta à sua maneira.

A Dona Girafa começou a recolher o lixo quando levava seus filhotes para um piquenique, o Hipopótamo não levou mais sabonete para as cachoeiras, e o Porquinho nunca mais acendeu uma fogueira.

Everyone went home, and from that day on, each animal took care of the forest their own way.

Mrs. Giraffe started cleaning up their trash after the picnics with her little ones, the Hippopotamus stopped bringing soap to the waterfalls, and the little Pig never lit a campfire ever again.

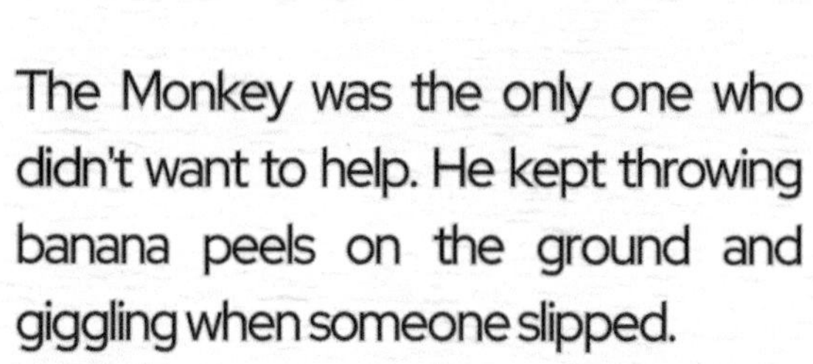

O Macaco foi o único que não quis ajudar, e continuou jogando cascas de banana no chão e rindo quando alguém escorregava.

“Cuidado, seu Macaco. Devemos tratar os outros como gostaríamos de ser tratados”, disse a sábia Coruja.

“Bobagem!” retrucou o Macaco.

The Monkey was the only one who didn't want to help. He kept throwing banana peels on the ground and giggling when someone slipped.

"Hey, be careful, little Monkey. Treat others the way you want to be treated," said the wise Owl.

"Nah, that's silly!" replied the Monkey.

Até que um dia, o Filhote do Seu Cachorro passou na casa do Macaco para brincar com ele.

O Leão fez uma pausa na história, olhou para mim e disse: "Parece que a Crystal quer brincar."

"Essa Crystal!" Peguei ela no colo e nos sentamos em silêncio para ouvir o resto da história.

O Macaco saiu pulando tão distraído que nem percebeu a casca de banana no chão. Ele escorregou e: "Aiiii, meu braço!"

"Calma, Macaco, eu vou pedir ajuda," disse o Filhote, correndo atrás do Leão para explicar o que aconteceu e chamar o Doutor Caramujo.

One day, Ms. Dog's Puppy went to the Monkey's house for a playdate.

The Lion paused the story, looked at me, and said:

"Looks like Crystal wants to play!"

"Oh, Crystal!" I picked her up, and we sat in silence to hear the rest of the story.

The Monkey was jumping around, not paying attention, and didn't see the banana peel on the ground. He slipped and cried out:

"Ouch, my arm!"

"Easy, Monkey, I'll get help," said the Puppy, running to the Lion to explain what happened and to call Doctor Snail.

"Ele quebrou o braço. Vou fazer um curativo e ele ficará bem, mas precisa de muito repouso," disse o Doutor Caramujo.

"Ouviu, Macaco? Espero que você tenha aprendido uma lição com esse tombo," disse o Leão.

"Aprendi sim, Tonhão. Eu ria dos meus amigos que se machucavam, mas quando aconteceu comigo, senti muita dor e vi que não é engraçado rir dos outros. Percebi também que todos precisam ajudar para salvar a Floresta. E eu quero ajudar de verdade. Prometo."

"Ótimo. Fico muito feliz em ouvir isso. Mas agora você precisa repousar."

"He hurt his arm. I'll put a bandage on it. He'll be okay soon, but he needs lots of rest," said Doctor Snail.

"Did you hear that, Monkey? I hope you learned something from this tumble," said the Lion.

"I did, Tony. I used to giggle when my friends got hurt, but when it happened to me, I understood it's not funny to laugh when others get hurt. I also know now that we all need to help save the Forest. I really want to help. I promise."

"Great to hear! But now, you need to rest."

E assim, todos fizeram a sua parte, inclusive o Macaco, que parou de jogar cascas de banana no chão e ensinou a todos os filhotes como poderiam ajudar.

Depois de algum tempo, o Leão convocou outra reunião com todos os moradores da floresta:

And that's how everyone pitched in, even the Monkey who stopped tossing banana peels and showed the little ones how they could help too.

After a while, the Tony the Lion gathered everyone for another meeting:

"Amigos, estamos aqui mais uma vez, e tenho boas notícias. A Dona Rã se recuperou, e as bolinhas amarelas sumiram do corpo dela."

"Hey, friends! I have good news. Mrs. Frog is all better now, and those yellow spots are gone."

"Ehhhhhh!" gritaram todos felizes.

"Hooray!" Everyone cheered.

"Os filhotes do Gato de Botas também já se recuperaram da bronquite, e nosso amigo Macaco já está com o braço novinho em folha. E sabem por quê? Porque juntos cuidamos para que tudo voltasse ao normal."

"The Puss in Boots' kittens are all better now, and the arm of our friend Monkey is good as new! And guess what? It's all because we worked together to make things right."

"A partir de hoje, o lago já pode ser usado para tomar banho e beber água. O Doutor Caramujo garantiu que a água está potável de novo. Que alegria poder dizer tudo isso. Nossa floresta já não corre mais perigo, mas precisamos continuar cuidando dela," concluiu Tony.

"Starting today, the lake is safe for swimming and drinking again. Doctor Snail said the water is clean again. How wonderful to share this news! Our forest is safe now, but we still need to look after it," said Tony.

“Ah, mais uma coisinha, a Mãe Natureza ficou tão feliz que mandou um presente para todos nós.”

"Oh, wait! There's one more thing: Mother Nature was so happy she sent us a gift."

“O que é?” perguntou o Macaco.

“What is it?” asked the Monkey.

“Uma festa!” respondeu o Leão.

“It's a party!” replied the Lion.

A alegria foi geral. Os bichos se abraçaram e dançaram a noite toda. Eles entenderam o quanto é importante cuidar da natureza, e o Leão Tonhão ficou muito contente. Agora todos podiam viver em paz na Floresta, sabendo que cuidar da natureza é fundamental para a sobrevivência de todos.

Everyone was overjoyed. They hugged and danced all night long. They learned how important it is to care for nature, and Tony the Lion was thrilled. Now, everyone could live peacefully in the Forest, knowing that looking after nature is important for everyone's happiness.

E a partir desse dia, a harmonia voltou a reinar na floresta.

And from that day on, harmony returned to the forest.

Olha eu aqui de novo!

Gostou da historinha? Eu adorei conhecer o Leão Tonhão e os moradores da floresta encantada. Sabe que o foi mais importante? A lição que eu aprendi. O planeta é como a nossa casa gigante, onde todos nós moramos. É importante cuidar dele porque, caso contrário, ele pode ficar dodói.

Quando jogamos lixo no chão em vez de na lixeira, isso deixa o planeta triste e sujo. Então, devemos colocar o lixo no lugar certo. A natureza é como um grande parque onde os animais vivem e as árvores e flores crescem. Se sujarmos esse parque, os animais e as plantinhas podem ficar doentes e tristes. Por isso, é importante não jogar lixo nos rios e nas florestas, para que tudo fique bonito e saudável.

Podemos também reciclar o nosso lixo, reciclar é como fazer mágica. Quando reciclamos, transformamos coisas velhas em coisas novas. Por exemplo, garrafas de plástico podem virar brinquedos legais. Isso ajuda o planeta a ficar mais feliz porque não precisamos de coisas novas o tempo todo.

Amiguinhos mochileiros, lembrem-se de cuidar do nosso planeta, da natureza e de reciclar o lixo, para que todos possamos viver felizes juntos. Te vejo na próxima aventura. Tchau!

Look, I'm back!

Did you enjoy the story? I had so much fun meeting Tony the Lion and his forest friends. Do you know what the best part was? The lesson I learned. Our planet is like a giant home for all of us. Taking care of it is important because if we don't, it might get a little sick.

Throwing trash on the ground instead of in the bin makes our planet sad and messy. That's why we should put trash where it belongs. Nature is like a huge park where animals play, and trees and flowers grow. If we litter in this park, the animals and plants might feel sick and sad. That's why it's important not to throw trash in rivers and forests, so everything stays beautiful and healthy.

We can also recycle our trash, and it is like doing magic tricks. When we recycle, we turn old things into brand-new ones. Like, plastic bottles can become awesome toys. This helps our planet be happy because we don't always need new stuff.

Hey, backpackers! Let's remember to take care of our planet and nature and recycle our trash, so we can all live happily together. See you on our next adventure. Bye!

Sheylla Gonçalves

Author & Storyteller
@sheyllagon
@mochileirosdaimaginacao

Nascida no Rio de Janeiro, iniciou sua carreira profissionalmente como atriz aos 5 anos. Aos 16 anos, mudou-se para São Paulo onde fez Faculdade de Artes Cênicas. Ao terminar a faculdade embarcou em uma nova e desconhecida aventura rumo a Los Angeles, na Califórnia, aonde vive a mais de 13 anos. Foi lá que ela se apaixonou pela dublagem, uma jornada lhe rendeu 3 indicações ao SOVAS - Society of Voice Arts and Science também conhecido como Oscar das voz, por 3 anos consecutivos (2017, 2018 e 2019) como melhor diretora de elenco e melhor dubladora em voz estrangeira. Já escreveu mais de 40 meditações para aplicativo com conteúdo de suporte ao dormir.

O projeto de contação de histórias "Os Mochileiros da Imaginação" começou em 2008, a partir da sua experiência no Centro Cultural São Paulo. Eles passaram por bibliotecas públicas, particulares, festivais de contação de histórias, centro culturais... voaram tão longe que foram parar no Acre em uma oficina contação de histórias para índios de diversas aldeias na UFAC - Universidade Federal do Acre. Agora, finalmente depois de muito sonhado, "Os Mochileiros da Imaginação" também podem ser encontrados em livro.

Born in Rio de Janeiro, she began her acting career at five. At sixteen, she moved to São Paulo, where she pursued a degree in Performing Arts. Later, she embarked on a new and unfamiliar adventure to Los Angeles, California, where she has been living for over thirteen years. It was there that she fell in love with dubbing, earning her three nominations for the SOVAS - Society of Voice Arts and Science, also known as the Oscars of Voice, for three consecutive years (2017, 2018, and 2019) as Best Casting Director and Best Foreign-Language Voice Actress. She has written over forty meditations for a sleep support app.

The storytelling project The Backpackers of Imagination began in 2008, stemming from her experience at the São Paulo Cultural Center. The group journeyed through public and private libraries, storytelling festivals, and cultural centers. It even reached as far as the Acre region of Brazil in a beautiful storytelling workshop for indigenous people from various villages at UFAC - the Federal University of Acre. Now, after much dreaming, The Backpackers of Imagination can also be found in book form.

Becca Lacerda

Illustrator - Becca Ilustra

@beccailustras

Becca Lacerda, natural de Fortaleza, no Ceará, encontrou desde cedo na arte sua mais genuína paixão, mas foi o desenho o fio condutor de sua expressão criativa. Os animais e a natureza sempre foram sua principal fonte de inspiração desde criança. Explorou diferentes áreas de estudo e após um breve período na psicologia, se reencontrou na ilustração em 2020, quando redescobriu sua vocação e determinou-se a tornar ela sua profissão. Desde então, tem se dedicado ao estudo, sobretudo, das técnicas de aquarela, sua maior paixão dentro do universo artístico, além de estudar desenho e design, criando obras com atmosfera mágica, sensível e repletas de elementos naturais.

Seu compromisso com a arte vai além do ato de criar: Becca compartilha seus aprendizados e experiências artísticas por meio da criação de conteúdo nas redes sociais, onde acumula uma crescente comunidade de amantes e aspirantes à arte.

Becca Lacerda, from Fortaleza, Ceará, found her most genuine passion in art from an early age, with drawing being the guiding thread of her creative expression. Animals and nature have always been her primary source of inspiration since childhood. She explored different areas of study and, after a brief period in psychology, rediscovered her vocation in illustration in 2020, turning it into her profession. Since then, she has dedicated herself to the study, particularly of watercolor techniques, her greatest passion within the artistic realm. She also studies drawing and design, creating works with a magical, sensitive atmosphere, and rich in natural elements.

Becca's commitment to art goes beyond the act of creation: she shares her learnings and artistic experiences by creating content on social media, where she has built a growing community of art enthusiasts and aspiring artists.

Olá, professor!

Através do relacionamento do Leão Tonhão com os outros animais da floresta, procuramos resgatar a importância da reciclagem, de cuidar da natureza., e o impacto que tudo isso causa no nosso planeta. Pensando nisso, criamos uma lista de sugestões de atividades, espero que elas inspirem você.

1. Criação de cartazes sobre a importância da reciclagem:
- Divida os alunos em grupos e peça a cada grupo para criar um cartaz colorido destacando a importância da reciclagem na preservação do meio ambiente.
- Eles podem incluir imagens de animais, árvores e outros elementos da natureza, juntamente com mensagens incentivando a reciclagem e o descarte correto do lixo.

2. Dramatização da história:
- Divida a turma em grupos e atribua a cada grupo um trecho da história para dramatizar.
- Usem fantasias ou adereços para representar os personagens e suas ações.
- Após as apresentações, discuta os valores e lições ensinadas em cada parte da história.

3. Passeio pela natureza e limpeza da área:
- Organize um passeio pela área externa da escola ou por um parque próximo.
- Peça aos alunos para coletar o lixo que encontrarem pelo caminho, enfatize a importância de manter o ambiente limpo e preservado.
- Após a coleta, falem sobre os tipos de lixo encontrados, como afetam o meio ambiente e o que podem fazer para evitar a poluição.

4. Atividade de arte com materiais recicláveis:
- Traga materiais recicláveis, como jornais, garrafas plásticas, caixas de papelão, etc.
- Peça aos alunos para criarem esculturas ou obras de arte utilizando esses materiais, incentivando a criatividade e a reutilização de objetos.
- Durante a atividade, discuta sobre a importância da reutilização e como isso pode ajudar a reduzir a quantidade de lixo que é descartado no meio ambiente.

5. Elaboração de planos de ação para a escola:
- Incentive os alunos a pensarem em maneiras de tornar a escola mais ecológica e sustentável.
- Eles podem propor a implementação de programas de reciclagem, a criação de áreas verdes, e a redução do uso de plástico.
- Os alunos podem apresentar seus planos em sala de aula e votar nas melhores propostas para serem colocadas em prática pela escola.

Divirtam-se!

Dear Educators,

Through Tony the Lion's relationship with the other animals in the forest, we aim to highlight the importance of recycling, taking care of nature, and the impact all of this has on our planet. Keeping this in mind, we've created a list of activity suggestions and we hope they inspire you.

1. Create posters on the importance of recycling:
   - Divide the students into groups and instruct them to craft a vibrant poster highlighting the significance of recycling in environmental preservation.
   - They can include images of animals, trees, and other elements of nature, along with messages encouraging recycling and proper waste disposal.

2. Story dramatization:
   - Divide the class into groups and assign each group a segment of the story to dramatize.
   - Use costumes or props to portray the characters and their actions. After the presentations, discuss the values and lessons conveyed in each part of the story.

3. Nature walk and area cleanup:
   - Organize an outing in the school's outdoor area or a nearby park.
   - Ask students to collect litter along the way, emphasizing the importance of keeping the environment clean and preserved.
   - Discuss the types of waste found, their impact on the environment, and what can be done to prevent pollution.

4. Recyclable materials art activity:
   - Bring recyclable materials such as newspapers, plastic bottles, cardboard boxes, etc.
   - Ask students to create sculptures or artworks using them, encouraging creativity and object reuse.
   - During the activity, discuss the importance of reuse and how it can help reduce the amount of waste discarded in the environment.

5. Develop action plans for the school:
   - Encourage students to think of ways to make the school more ecological and sustainable.
   - They can propose the implementation of recycling programs, the creation of green areas, and the reduction of plastic usage.
   - Students can present their plans in the classroom, and the best proposals can be voted on for implementation by the school.

Have fun!

Printed in the USA
CPSIA information can be obtained
at www.ICGtesting.com
LVHW061108220224
772523LV00002B/56